Mai più Maya
di Marco Casolino
illustrazioni di Shun Iwasawa
eBrooks 2012

Estratto dal libro "Pseudoscienze del Nuovo Millennio"
in prossima uscita per eBrooks

Disponibile in varie versioni (Pdf, ePub, Mobi, carta) su
numerosi canali on-line, descritti ed elencati sul sito ebrooks.it.

Per i contenuti aggiuntivi visitate il sito http://ebrooks.it/.

Prima edizione cartacea: Lulu 2013.

INDICE

MAI PIÙ MAYA

1.1 LE CATASTROFI DEI MAYA E DELL'ERA MODERNA

Dai primi anni del 2000 si è riproposta con crescente insistenza l'idea di una catastrofica fine del mondo prevista secoli fa dai sacerdoti maya per il 21 dicembre del 2012. La prima formulazione risaliva agli Stati Uniti degli anni '70. Nel corso dei vari decenni trascorsi da allora, la 'profezia' è stata riciclata più volte, stravolgendo non solo concetti e credenze del popolo dello Yucatán, ma anche l'originale enunciazione *new age*. Paradossalmente, la storia dei Maya racchiude ancora molti misteri non solo archeologici ed è ricca di vicende di rilevanza cruciale per il mondo di oggi. Dare ascolto alle profezie ed a cataclismi presunti non fa altro che distogliere l'attenzione dai reali eventi catastrofici che hanno caratterizzato la complessa storia di questo popolo e che possono riproporsi – con le dovute analogie e specificità - su scala mondiale anche al giorno d'oggi. Questo antico popolo è stato infatti soggetto alla maggior parte di quegli stessi eventi catastrofici che minacciano su scala planetaria – realmente o nell'immaginario collettivo - la nostra civiltà.

Sulle coste dello Yucátan, 65 milioni di anni fa si schiantò l'enorme meteorite che decretò l'estinzione dei dinosauri

(Capitolo 6). Su scala locale, l'impatto dell'asteroide pose le basi per i cambiamenti orografici che permisero il fiorire di una delle più interessanti civiltà mesoamericane. La stessa conformazione del terreno che favorì i Maya rispetto ad altre popolazioni limitrofe contribuì però a causarne la sparizione dopo millenni di prosperità (Capitoli 2, 3). Quando la spedizione di Cortèz giunse nel 16^0 secolo nel Centro America, la civiltà maya era infatti crollata già da vari secoli. Le nazioni in cui le popolazioni superstiti erano organizzate erano una pallida eco dei fulgidi regni del Periodo Classico. Passando per una delle regioni più popolose di quello che sei secoli anni prima era il cuore della civiltà maya, i *Conquistadores* rischiarono di morire di fame perché non trovarono neanche un villaggio presso cui potersi approvvigionare. Oltre all'invasione "aliena" (nel duplice senso latino del termine: estranea e ostile), l'arrivo degli europei portò un altro cataclisma. I *conquistadores* non si limitarono a porre sotto il loro giogo le popolazioni del Centro-America: come avvenne anche nel resto del Nuovo Mondo portarono con sé epidemie e pestilenze che spazzarono via in pochi anni più del 90% della popolazione indigena (Capitolo 5).

Al di là dell'interesse archeologico e sociale, l'importanza dei Maya non risiede dunque nella 'profezia' o nella 'non-profezia', ma in come abbiano subìto, combattuto e superato una serie di terribili cataclismi.

Mais, giaguari e templi

La civiltà Maya si sviluppò in America Centrale, nello Yucatán, a partire dal 2000 a.C. Lo Yucatán è una penisola compresa nella fascia tropicale, della lunghezza di 900 km e sita a 1000 km a nord dell'equatore. Ha la forma di un corno che punta verso l'Europa: il nord, ora territorio messicano, è pianeggiante; la regione meridionale - che comprende gli altipiani del Guatemala e si estende sino al Salvador - è montagnosa. Il clima è tipico della foresta pluviale stagionale: piove da maggio ad ottobre e poi da gennaio ad aprile. Andando verso sud le precipitazioni annue crescono da 45 cm a 250 cm ed il terreno diventa più produttivo. Tuttavia le zone meridionali, seppur con maggiori precipitazioni, sono quelle più soggette a siccità. Questo perché il livello del terreno decresce verso nord, per cui i *cenote*, i pozzi cui i Maya attingevano per rifornirsi d'acqua, si moltiplicano man mano che ci si sposta verso il golfo del Messico: l'intero Yucatán è infatti sospeso sopra una immensa falda acquifera sotterranea.

I Maya furono una delle civiltà mesoamericane più tarde, il che permise loro di adottare ed adattare molte delle scoperte delle popolazioni vicine. La costruzione di villaggi strutturati iniziò attorno al 1500 a.C., mentre la transizione alle città avvenne circa un millennio dopo, solo nel 500 a.C.. I frequenti scambi con i loro più vetusti e progrediti vicini fecero conoscere ai Maya tecniche avanzate di architettura e nozioni di astronomia: favorì inoltre l'introduzione della scrittura che nel Centro-America era apparsa per prima tra gli Zapotechi, nel 600 a.C.. Oltre che dalle civiltà che la precedettero e l'hanno accompagnata, come quella degli Olmechi (dal 250 al 900 d.C.), i Maya restarono in costante contatto con almeno altre tre culture loro vicine: quella di Totihuacán a ventotto miglia a nord-est da Città del Messico, quella degli Zapotechi, nell'Oaxaca con Monte Albán, quale loro principale città, e quella centro-settentrionale di Veracruz.

Le città non erano costruite in prossimità dei fiumi, come accadeva nell'Eurasia, ma su promontori particolarmente vicini alla falda d'acqua. Per facilitare l'approvvigionamento idrico, i Maya ne alterarono la struttura idrografica, accentuando le depressioni carsiche e creando immensi depositi d'acqua sulle sommità fortificate, in grado di soddisfare i fabbisogni idrici di città di decine di migliaia di abitanti per più di un anno. Ad esempio, nella città di Coba, furono costruite dighe intorno a un lago in maniera da innalzarne il livello ed aumentare la quantità d'acqua disponibile.

Anche l'alimentazione era simile a quella dei vicini, dominata dal mais, povera di carne, con coltivazioni fortemente dipendenti dal clima e dalla facilità dell'irrigazione.

Analizzando gli scheletri dei defunti è stato infatti possibile determinare come più di due terzi dell'alimentazione dei Maya provenisse dal consumo di mais e quindi quanto fosse carente di proteine. La dieta era povera di carne: gli unici animali domestici erano cani, polli e tacchini, con pochi contributi di pesce e di fauna selvaggia. Il mais, selezionato nel corso di millenni di coltivazioni, costituiva l'alimento essenziale della dieta di tutti i maya, indipendentemente dal loro stato sociale. Oltre al granturco le colture principali erano i fagioli, le angurie e le patate dolci. A queste, sul versante del Pacifico, si aggiungeva il cacao. Grano e fagioli furono introdotti nel Centro-America verso il 3000 a.C., ma avevano una rendita nella coltivazione più bassa del mais.

Si ritiene che i Maya coltivassero a *debbio*, ossia bruciassero un tratto di foresta per coltivare il mais nella zona disboscata sfruttando i fosfati ed i minerali provenienti dalla cenere. Non avendo una tecnica di rotazione delle colture, il mais poteva crescere sul terreno per due anni al massimo. Poi il terreno doveva restare a maggese, incolto per parecchi anni prima di riprendersi.

Nonostante queste difficoltà, le recenti stime sulla popolazione nei vari centri abitanti, basate sui resti delle fattorie e delle abitazioni, mostrano come nelle città vi fosse una densità di abitanti che andava – nel periodo Classico – da 100 a 600 unità per km^2, simile e talvolta superiore a quella italiana che si aggira al massimo intorno ai 400 abitanti per km^2. Queste elevate cifre fanno ritenere che lo scenario di un'agricoltura esclusivamente a debbio sia in parte sovra semplificato, non essendo in grado di sostenere queste densità abitative. È quindi probabile che i Maya utilizzassero anche altri sistemi di coltivazione, terrazzamento e gestione delle risorse agricole.

Anche gli strumenti erano estremamente semplici: i contadini non conoscevano pulegge o leve e non potevano utilizzare (perché non c'erano) animali da soma per arare e trasportare le derrate alimentari. Queste limitazioni imponevano una produzione e consumo locale delle risorse, senza un commercio 'internazionale' di cibo. La maggior parte dei regni maya era costituita infatti da popolazioni che potevano raggiungere le centinaia di migliaia di persone, insediate tutte nel raggio di pochi giorni di cammino dal palazzo reale. Questa struttura sociale aveva anche immediate implicazioni sulla logistica militare e sulle spedizioni belliche dei Maya (ma anche dei loro possibili nemici), che non potevano portarsi troppo lontano o troppo a lungo senza doversi fermare per carenza di approvvigionamenti.

Diverso era il caso delle merci non deperibili, di cui esisteva un fiorente commercio con i popoli confinanti e quelli più lontani, soprattutto commercio di ossidiana, importata per realizzare strumenti, ma anche oro, giada, sale e conchiglie.

I Maya raggiunsero l'apice della loro civiltà nel Periodo Classico, per sei secoli a partire dal 3° secolo d.C.. In questo periodo vi erano almeno ottanta monarchi che governavano per diritto divino, vantando una discendenza da divinità astrali come il Sole, la Luna e Venere. Spesso, dopo la morte, assurgevano al loro stesso rango venendo quindi adorati come dei. Ciascun regno era dotato di un esercito posto alle dipendenze del re. La popolazione sostentava la struttura sociale e garantiva l'elevato status dell'aristocrazia in cambio della protezione dall'ira degli dei e la garanzia di un raccolto prospero.

Tuttavia, nonostante recenti ricerche abbiano fatto luce su molti aspetti della cultura maya, non sono ancora chiari i rapporti tra governanti e governati, la natura politico-organizzativa dei regni, i meccanismi di costituzione e di comportamento delle classi egemoni. Non si conosce ancora chi definiva l'autorità e i poteri effettivi del re, né il procedimento che disciplinava la sua nomina, o i suoi rapporti con la casta sacerdotale: in sostanza sarebbe interessante conoscere il tipo di monarchia, i rapporti interni ai poteri, l'esercizio del governo e i rapporti effettivi del popolo nei confronti del sovrano...

La catastrofe dei conquistadores

Verso la fine del $9°$ secolo vi fu un catastrofico declino che determinò l'abbandono della maggior parte delle città principali, una drastica riduzione della popolazione e la perdita di molte delle conoscenze sino ad allora acquisite. Sulle cause che portarono al crollo della civiltà Maya si dibatte ancora: costituiscono infatti uno dei tanti misteri di questo popolo, e pongono senz'altro inquietanti interrogativi per gli studi climatici e socio-economici del mondo odierno.

Con la fine dell'era classica, buona parte dei territori Maya furono conquistati dai popoli dell'ovest: prima i Toltechi e, successivamente, gli Aztechi. Gli aggregati umani superstiti si frammentarono in una serie di città-stato in lotta tra loro. Andarono anche perse molte delle conoscenze astronomiche, storico-mitologiche e costruttive e fu abbandonato il calcolo dei giorni secondo il calendario di lungo computo, che oggi viene riesumato come fulcro della falsa profezia della fine del mondo. Le città e i templi Maya ben presto furono inghiottiti dalla giungla e se ne perse memoria già molto tempo prima dell'arrivo e delle devastazioni dei *conquistadores*.

Infatti, quando nel corso delle loro spedizioni, gli spagnoli passarono nel 1525 a pochi chilometri dalla città di Tikal - una delle più importanti capitali dei regni maya del Periodo Classico, sede di un'antica dinastia e con più di centomila abitanti - gli spagnoli non menzionano nulla al riguardo nei loro diari, segno che questo centro doveva essere stato completamente sepolto dalla vegetazione. Paradossalmente, le divisioni tra le nazioni Maya ne resero più faticosa la conquista da parte degli spagnoli e ne facilitarono la sopravvivenza culturale ed etnografica. I *conquistadores* dovettero assoggettare i popoli dello Yucatán uno alla volta: se il primo contatto dei Maya con gli europei risale ad appena dieci anni dopo la scoperta del Nuovo Mondo da parte di Colombo, nel 1502, il loro definitivo assoggettamento avvenne infatti solo nel 1697.

Le città maya ed i loro maestosi monumenti furono riscoperti solo nel 1839 da un avvocato americano, John Stephens, ed un inglese, Frederick Catherwood, che decisero di esplorare la zona sulla base dei racconti delle rovine di Copán di Juan Galindo, un militare ed esploratore nato a Dublino ma trapiantato in centro America. Nel corso dei loro viaggi i due esploratori riscoprirono più di quaranta siti archeologici, descrivendoli in una serie di libri che risvegliarono la curiosità del grande pubblico verso questa 'civiltà perduta'. Da allora gli studi archeologici e le conoscenze su questo popolo sono cresciuti continuamente, anche se restano ancora enormi lacune nella comprensione di tanta enigmatica civiltà.

L'etnia Maya è riuscita a sopravvivere a tutte queste vicissitudini ed è ancora presente ai giorni nostri, con una popolazione stimata in circa 6 milioni di persone, con tradizioni e cultura indipendenti e distinte da quelle del resto del Centro-America. Anche il linguaggio è simile a quello parlato dai loro antenati prima delle invasioni degli europei.

Il Dialogo sulle Scienze

> *La civiltà dei Maya produsse degli uomini di genio, e li produsse in un'atmosfera per noi incredibile. Chi si occupa dei Maya non si deve mai rifare alla linea del buon senso per indurne un loro comportamento, perché si trattò di gente che trionfò nelle finalità non pratiche e fallì nelle pratiche. Quale aberrazione mentale (aberrazione secondo noi) fece sì che i sapienti della nazione maya riuscissero a formare una carta passabile della volta celeste, ma non ad inventare la ruota? [...] A computare i milioni ma non trovare il modo di pesare un sacco di granoturco?*

> *J. E. Thompson, La civiltà Maya, 1970*

Come scrive Thompson, la civiltà Maya fu profondamente diversa per *forma mentis*, mitologia e modo di vivere da quelle eurasiatiche. Se misurata con criteri occidentali, essa potrebbe apparire piena di contraddizioni. Essa sviluppò un sistema di scrittura e linguaggio molto sofisticato, ma non utilizzava la ruota; effettuava osservazioni astronomiche estremamente accurate pur senza lenti o telescopi; innalzò città e piramidi con precisione millimetrica ma senza far ricorso a strumenti metallici già in uso nell'età del ferro e financo nell'età del bronzo. Queste differenze erano sia di natura culturale che dovute alle condizioni climatiche ed ambientali dello Yucátan. Infatti le analoghe differenze riscontrabili nelle discipline scientifico-tecnologiche sono ascrivibili all'ambiente ed alla conformazione del terreno. Ciononostante, in quali dottrine scientifiche sarebbe stato possibile per gli Europei un dialogo con i contemporanei d'oltreoceano? Un confronto tra le scienze viste al di qua e al di là dell'Atlantico non sarebbe stato possibile sul fronte della fisica, ancora agli albori – a quel tempo - su tutto il globo. Per quanto riguarda la biologia, le specie animali presenti su un'area ristretta come il Centro-America erano molte di meno di quelle esistenti in Eurasia. Non vi erano animali da soma: i primi cavalli giunsero nel Nuovo Mondo nel 16° secolo con i *conquistadores*. L'assenza di equini o bovini - in grado di portare pesi e trainare un aratro o un carro - ebbe molteplici e profonde conseguenze nelle civiltà americane. Ad esempio relegò la ruota a semplice giocattolo per bambini, senza applicazioni pratiche sia nella vita civile che nell'arte della guerra. Inoltre – come descritto nel Capitolo 2 – la ridotta esposizione a virus, batteri e malattie diffuse in Europa da questi animali rese i Maya estremamente vulnerabili alle epidemie portate dagli ispanici.

Gli unici campi in cui sarebbe stato possibile un dialogo tra i sacerdoti maya ed i loro contemporanei d'oltreoceano erano quelli più astratti come la matematica e l'astronomia. Sarebbe stato un dialogo faticoso, dato che l'uso cui erano destinati questi saperi e l'importanza che ricoprivano nella vita di ogni giorno erano molto diversi.

Per i Maya il tempo era un elemento centrale nel quotidiano, più che nella vecchia Europa, dove pure aveva acquistato maggiore importanza con l'avvento del Cristianesimo. Essi ritenevano che il tempo avesse una struttura ciclica, e ciascun giorno dei loro calendari fosse affidato alla cura delle varie divinità. Più serie di dei distinti si avvicendavano secondo ritmi diversi e seguendo una moltitudine di almanacchi: solo i sacerdoti, in grado di seguire i complessi computi dei giorni, erano in grado di stabilire quali fossero i periodi propizi e quelli sconsigliati per intraprendere guerre, incoronazioni, semine e matrimoni. L'astronomia, precisissima nelle misure nonostante l'assenza di lenti e telescopi, era usata come orologio celeste, finalizzata al computo del tempo e a determinare l'andamento dei cicli dei calendari. La complessità dei calcoli astronomici è tanto assoluta quanto complessa, e quindi disponibile ad interpretazioni fantastiche, come quelle di una catastrofe planetaria. Per separare la realtà dalla leggenda e giungere al cuore delle conoscenze di questo popolo non resta che affidarsi ai testi e alle iscrizioni che ci hanno lasciato, ricordando che anche queste fonti non sono monolitiche e hanno subìto, dapprima con la fine del periodo classico, e successivamente con la conquista degli europei, notevoli evoluzioni e contaminazioni.

Codici e Stele

> *Abbiamo trovato un gran numero di libri in questi caratteri [geroglifici] e – poiché non contenevano nulla al di fuori di superstizioni e bugie del demonio - li bruciammo tutti, cosa che a loro [i Maya] dispiacque moltissimo e causò molta afflizione.*

> Diego de Landa, *Relación de las cosas de Yucatán*, Tozzer, A.M., trad, 1941

Così scrive il frate francescano Diego de Landa, vescovo dello Yucatán dal 1549 al 1578. Dopo la conquista da parte degli spagnoli, fu proibito alle popolazioni sottomesse di utilizzare il loro alfabeto e furono imposti loro i caratteri latini. Tutti i tomi e gli scritti di questa complessa civiltà furono bruciati o comunque distrutti dagli spagnoli per ordine dell'Inquisizione nel tentativo di sradicare usi e costumi considerati barbari e di facilitare la cristianizzazione dei nuovi sudditi della corona spagnola. Nonostante questa occidentalizzazione forzata, la lingua maya riuscì a sopravvivere: fu trascritta di nascosto in alfabeto latino ed è parlata – come si è detto - ancora oggi. Delle migliaia di volumi contenenti le conoscenze e le conquiste culturali dei Maya, solo quattro scritti originali scamparono alla distruzione degli europei. I tre principali sono identificati dal nome delle città in cui queste rarità sono custodite: il codice di Dresda (74 pagine), quello di Madrid (112 pagine), quello di Parigi (22 pagine). Vi è anche un quarto frammento, detto di *Grolier* (11 pagine), che prende il nome dal Grolier Club di

New York, dove fu esposto per alcuni anni dal 1971, dopo la sua romanzesca scoperta in Messico nel 1965.

I Maya impiegavano vari supporti per scrivere: pergamena, corteccia d'albero, o pasta di fibre vegetali rafforzata con colla, levigata e spianata, per realizzare una superficie su cui dipingere gli ideogrammi. La preparazione era simile sotto molti aspetti a quella dei papiri in uso nell'antichità in Egitto e nella stessa Roma.

I glifi erano dipinti con un pennello intinto in cenere di legno e colorati con essenze ricavate da vegetali vari ed animali. Queste sfoglie, equivalenti alle nostre pagine, venivano poi incollate tra loro e quindi piegate a fisarmonica, come un moderno *dépliant*, e infine rilegate in legno o in cuoio. Questa organizzazione dei fogli viene anche chiamata *Leporello*, dal nome del servo di Don Giovanni, nell'omonima opera di Mozart. Leporello infatti prende nota delle conquiste del suo padrone in una lista piegata, per l'appunto, a fisarmonica, come i codici Maya.

Il codice di Dresda risale al XIII secolo, con descrizioni iconografiche proprie dell'est Yucatán, probabilmente proviene da Chichén Itzá. È il più ricco di informazioni astronomiche: vi si trova una serie di almanacchi che descrivono accuratamente i periodi sinodici e le orbite della Luna, di Venere e Marte. Particolarmente interessante è un doppio annuario in grado di prevedere le eclissi solari. L'almanacco è arricchito da un sussidio didattico, costituito da una 'tabellina' per le moltiplicazioni.

Il codice di Madrid viene concepito nella parte ovest dello Yucatán tra il XIV e XV secolo, con una sezione risalente al X secolo; le iconografie e lo stile pittorico richiamano i siti di Tancah e Tulum, sulla costa est dello Yucatán. Vi si tratta per lo più degli aspetti rituali della vita, anche se sono anche presenti preziosi calendari ricchi di informazioni sul computo delle date.

Il codice di Parigi è stato probabilmente realizzato nel nord dello Yucatán a cavallo tra il XIV e il XV secolo. Descrive in dettaglio il *kátun*, vale a dire il calendario della durata di circa 20 anni, ma contiene anche una sezione sulle costellazioni.

Il frammento di Grolier è stato a lungo considerato di dubbia genuinità anche a causa della storia del suo presunto ritrovamento in una grotta e l'acquisto non proprio legale da parte di un collezionista, José Saenz, che lo portò negli USA prima di restituirlo al Messico. I glifi di questo testo sono in bianco e nero e più semplici di quelli degli altri tomi, particolari che hanno contribuito a renderne dubbia la genuinità. Al momento è ritenuto originale da una buona parte degli studiosi. La maggior parte dei glifi e delle informazioni ivi contenuti è comunque rinvenibile anche negli altri tre codici o nelle iscrizioni su pietra dei siti archeologici.

Nel corso degli anni, le ricerche archeologiche hanno rinvenuto resti di altri volumi rimasti nascosti per secoli nelle cripte e nei sotterranei. Purtroppo il clima umido ha ridotto questi preziosi reperti a blocchi informi di cellulosa. Pur essendo oggi illeggibili, questi resti vengono accuratamente conservati nella speranza che un giorno tecniche più sofisticate di scansione siano in grado di ricostruire il loro prezioso contenuto e rivelarci nuove informazioni sulla cultura maya.

A questi quattro codici – che pure risalgono a vari secoli dopo la fine del Periodo Classico – si aggiunge una serie di documenti redatti in epoca più tarda, copie e trascrizioni di testi più antichi, effettuati dai Maya del dopo-conquista utilizzando i caratteri latini.

Dal Guatemala è giunto sino a noi il *Popol Vuh* (Il libro della Gente), un testo scritto nel dialetto Maya Quiché. Questo testo, datato intorno al 1554, fu scoperto nell'attuale Guatemala nella cittadina di Santo Tomás Chichicastenango nel 1702 dal frate francescano Francisco Ximénez. Questi ne fece una copia aggiungendovi a fronte la traduzione in lingua castigliana. Il tomo bilingue rimase poi dimenticato sino al 1854 quando l'abate Brasseur de Bourbourg lo rinvenne nella biblioteca dell'università di Città del Guatemala. Trafugato il volume in Europa, de Bourbourg ne pubblicò una traduzione in francese. L'originale di Ximénez giacque dimenticato per quasi un secolo sino alla sua riscoperta nel 1941.

Nel Popol Vuh è presente una messe di informazioni su astronomia, astrologia e cosmologia Maya: il testo contiene anche una versione della cosiddetta profezia legata alla fine del ciclo dell'anno dei Maya. È infatti riportata la storia delle creazioni fallite dei primi tre mondi e le gesta di due eroi gemelli, Xbalanque e Hunahpu, che prepararono il mondo per la quarta ed attuale creazione. Viene anche narrata la creazione dell'uomo da parte degli dei, utilizzando il mais. È sulla data indicante la fine dell'era precedente e la nascita del mondo attuale che sono nate molte delle leggende relative alla cosiddetta profezia Maya sulla fine del mondo.

Le scoperte di Brasseur de Bourbourg non si limitarono al Popol Vuh: lo studioso francese rinvenne nella biblioteca di Madrid, nel 1869 un manoscritto attribuito a Diego de Landa primo vescovo di Merida e artefice della distruzione di migliaia di volumi originali dei Maya. Il testo, *Relación de las Cosas de Yucatán*, contiene varie informazioni etnografiche, descrizione degli ideogrammi e stili di vita dei Maya. Anche se il dizionario e le interpretazioni dei glifi Maya era completamente errato (e diede origine, tra le altre cose, al mito del fantomatico continente di Mu), il testo si rivelò fondamentale per decifrare la lingua maya nella seconda metà del XX secolo. De Bourbourg rinvenne anche due codici originali maya: il Codice Troano e quello Cortesiano. A seguito di vari studi ed analisi si stabilì che questi due testi erano parte dello stesso volume: riunificati formano quello che adesso è noto con il nome di Codice di Madrid.

Altri importanti documenti del Periodo Postclassico sono noti come *i libri di Chilám Balám*. Anche se alcune parti sono probabilmente state ricopiate direttamente da libri più antichi, la maggior parte dei testi risulta come una tarda compilazione e trascrizione di tradizioni orali narrate dall'oratore/araldo degli dei (*chilám*) giaguaro (*balám*)[1]. Questi sacerdoti erano noti per le loro capacità magiche e divinatorie, non necessariamente profetiche - nel senso del saper prevedere il futuro - quanto di determinare quando un evento passato si ripresenterà nel prossimo ciclo degli anni. Di essi sono giunti sino a noi solo quattordici manoscritti, ma dovevano essere di più. Il corpus descrive l'organizzazione politico-sociale dei Maya, le loro pratiche mediche, e le loro tradizioni. Vi si trovano anche riferimenti a specifici eventi storici avvenuti intorno all'anno Mille ed alla storia maya dopo la conquista spagnola, misti a insegnamenti cristiani. Gli scritti contengono anche alcuni almanacchi e la descrizione di eventi astronomici: essi però confermano il degrado del livello delle conoscenze rispetto a quelle possedute nei secoli precedenti la conquista spagnola. Ad esempio non era più possibile calcolare le date delle eclissi, anche se la commistione con le conoscenze occidentali aveva introdotto la spiegazione corretta dell'allineamento dei corpi celesti.

Iscrizioni sono giunte in gran copia, ben quindicimila su pietra o ceramica, mentre più rare sono le pitture murali. Contengono essenzialmente informazioni astronomiche, matematiche o celebrazioni di guerre e dinastie reali. Non trattano invece degli usi e della vita della popolazione per le quali è necessario rifarsi – con raffronti comparati – alle conoscenze sulle altre civiltà mesoamericane.

1.2 TERENCE MCKENNA E LA NON-PROFEZIA

> *Le profezie maya possono essere raggruppate in quattro classi: giornaliere, annuali, del katun e speciali, come il ritorno di Kukulcan. La profezia giornaliera è più correttamente una prognosi, compito dell'ah-kinyah, o divinatore piuttosto che del chilám. Ciascuno dei 260 giorni del tzolkin è fortunato o sfortunato...*
>
> *Come il commentatore maya afferma nel Chilám Balám di Chumayel, [le profezie del katun] sono essenzialmente di carattere storico. Questo perché qualunque cosa è avvenuta in un dato katun si ripeterà nel futuro durante il katun dello stesso nome, approssimativamente ogni 256 anni.*
>
> R. Roys, (trad.) *Il libro di Chilám Balám of Chumayel*, 1933

La pubblicistica parascientifica e la televisione di effetto hanno fatto rimbalzare da tempo la predizione della fine del mondo in corrispondenza del 21 dicembre 2012. La notizia – somministrata, a seconda dei casi, come curiosità scientifica, come minaccia o come strumento per truffe – risulta generata da una presunta profezia Maya.

Va ribadito che i Maya non concepivano la possibilità di predizioni o divinazioni secondo la nostra cultura e tradizione greco-romana, quali pre-determinazione di accadimenti futuri. Piuttosto essi ritenevano che gli eventi si ripresentassero periodicamente come manifestazione delle divinità alla cui cura gli eventi stessi erano affidati.

L'origine della profezia risale in realtà agli anni '70 ed ha un padre ben preciso. Essa è dovuta ad uno dei più curiosi ed eclettici cultori di scienze alternative, Terence McKenna. Questi è stato un esploratore, sciamanista, cabalista e sperimentatore di droghe psichedeliche, come molti altri individui della sua epoca. Un uomo dalle molte facce, anche dal punto di vista scientifico. Nei suoi scritti, questo prolifico autore descrive le esperienze e visioni avute sotto l'uso delle droghe e la sua particolare interpretazione del mondo e della strada percorsa dalla civiltà moderna. Affine alle dottrine della *new age*, McKenna se ne discostava nettamente, preferendo e sollecitando la sperimentazione in prima persona per la verifica di messaggi culturali e dogmi di qualunque genere. Pur basandosi su antichi strumenti divinatori come la cabala ebraica e l'*I Ching* cinese, questo poliedrico personaggio non disdegnava l'uso di programmi di computer di sua creazione, anche basati su teorie matematiche come quella dei frattali. Da questo variegato e caotico *potpourri* di matematica, sciamanismo, visioni indotte da droghe, McKenna concluse che il numero e la velocità di cambiamenti, complessità e novità fossero aumentate enormemente negli ultimi anni e che la tendenza stesse crescendo verso la catastrofe. Descrivendo la sua teoria, *TimeWave Zero* (Onda temporale zero), McKenna affermava:

> *Siamo sull'orlo di possibilità che ci renderanno letteralmente irriconoscibili a noi stessi, e le possibilità saranno realizzate non nei prossimi mille anni ma nei prossimi venti, poiché l'accelerazione delle invenzioni, delle novità e del trasferimento di informazioni è ormai estremamente rapido.*

Lo studioso postulò quindi che tutti questi cambiamenti avrebbero portato la razza umana ad un punto di discontinuità, un asintoto che avrebbe portato alla fine del mondo. Con il suo software, anch'esso chiamato *TimeWave Zero*, riuscì anche a calcolare l'accelerazione di questa complessità e a predire la data di questa singolarità: curiosamente la data calcolata fu proprio il 21 dicembre 2012.

Nelle sue parole, grande fu il suo stupore quando – nel corso di un viaggio in America centrale – lo scrittore statunitense giunse a contatto con la cultura Maya ed apprese che la data per la conclusione dell'attuale ciclo (quello del 12° *baktun)* era proprio quella del 21 dicembre 2012. Colpito da questo sincronismo cosmico, McKenna ipotizzò che i sacerdoti Maya – sotto l'effetto di droghe allucinogene – all'epoca da lui ritenute chiavi di porte per l'accesso alla vera conoscenza – avessero avuto percezione di un qualche cataclisma galattico che avrebbe avuto luogo nel 2012 ed avessero allineato il loro calendario di conseguenza.

I suoi detrattori ironizzarono che fosse stato piuttosto McKenna ad aver aggiustato la data della sua predizione per farla coincidere con quella dei Maya, facendo notare che il cataclisma maya avrebbe dovuto essere, all'occorrenza, di natura cosmica e non causato dall'uomo, come quello descritto in *TimeWave Zero*. I denigratori furono sconfitti: le teorie di McKenna si diffusero rapidamente e presero piede in molti circoli di cultura alternativa e *undergound*. Successivamente – con il supporto della "rete" – assunsero vita propria e un'amplificazione tale da far spesso dimenticare da dove nascevano e il loro stesso autore.

Le teorie di McKenna non hanno naturalmente alcun fondamento scientifico ma rappresentano un fenomeno interessante se considerato come originale sforzo per interpretare in chiave artistico/letteraria e ricondurre ad una concezione unitaria la complessità dei problemi del mondo odierno. A differenza di molti suoi emuli, McKenna era ritenuto in buona fede nel suo tentativo di conciliare le molteplici dottrine e interessi della sua poliedrica cultura. Sarebbe stato interessante conoscere il suo parere sul proliferare, in questi ultimi anni, di profezie e vaticini sulle prossime apocalissi, ma l'eclettico autore morì nel 2000 all'età di soli 54 anni.

La profezia trarrebbe dunque origine dal calendario astronomico dei Maya: un'analisi della sua precisione e raffinatezza basterebbe per convincersi dell'assurdità di inesistenti predizioni, ma uno studio più dettagliata del computo del tempo nell'era dei maya permette di giungere al cuore del problema e spazzar via ogni dubbio.

Calendari fasti e nefasti

Ai Maya il futuro interessava meno del passato e ciò con ogni probabilità a causa della loro convinzione che la storia si ripete, che ricomincia daccapo appena le influenze divine si ricompongono nell'equilibrio di partenza.

J. E. Thompson, La civiltà Maya, 1970

È assolutamente sconcertante, per la nostra mentalità, la concezione del tempo che i Maya vivevano quotidianamente. Rispetto alle nostra visione lineare, che divide e classifica passato, presente e futuro, la loro idea era talmente confusa da apparire per noi impossibile. Per questo popolo, infatti, la base di tutto era la ciclicità degli eventi.

A rappresentare graficamente questa ripetitività, che noi definiremmo meccanica, nei libri moderni trovano vengono spesso usate complesse illustrazioni di ruote dentate che si incastrano tra loro, ruotando al passare dei giorni. Tuttavia questi schemi non sono propri della cultura Maya e soprattutto non corrispondono all'immagine mentale che essi avevano del tempo.

Calendari e almanacchi costituiscono però una utile chiave per penetrare nel modo con cui si rapportava al trascorrere delle stagioni e degli anni. A ciascun giorno, mese, anno corrispondeva una divinità che si alternava alle altre nel governo del mondo. Gli dei raccolgono il fardello del tempo e dei suoi eventi climatici, lo portano con sé, lo depongono passandolo a quello successivo. Gli dei potevano essere benevoli o malevoli: la numerologia maya assegna fasti alle divinità incardinate nei numeri 4, 7, 9 e 13 e nefasti a quelle associate ai numeri 2, 3, 5, 10. I numeri fasti si ritrovavano negli edifici sacri, come le piramidi, mentre giammai tale possibilità era data ai numeri nefasti.

I Maya avevano un'aritmetica a base 20. Quella comunemente in uso oggi è a base 10, mentre nei sistemi digitali è necessario usare la base 2. Nel nostro sistema numerico la singola cifra più grande corrisponde quindi al 9, mentre per i Maya era 19, numero per loro dotato di una importanza particolare.

I sacerdoti maya si dedicavano a un complesso lavoro di valutazione del bene e del male che dei periodi successivi. Un anno giungeva portato dal dio con il fardello della siccità, un altro con quello del buon raccolto e così via, ciclicamente, ripetitivamente.

Alla base del senso del tempo si colloca quindi la ripetizione ricorrente degli eventi, in cui passato presente e futuro non hanno una chiara definizione ma sono elementi indistinti di un concetto di ciclicità. Conoscere le date e gli dei che le avevano in carico era fondamentale nella vita di tutti i giorni e nel pianificare gli eventi, dalla semina alla guerra.

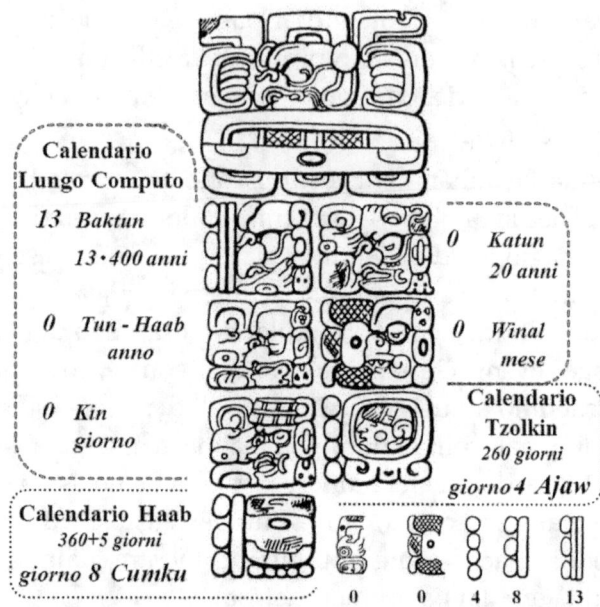

Figura 1: La durata dell'era passata secondo la stele C di Quirigá (qui è riportata parte superiore del lato est). 13.0.0.0.0 corrisponde ad una data di 5129 anni fa.

I sacerdoti erano i detentori del sapere perché potevano prevedere il futuro basandosi sul calcolo numerico delle date e della loro buona o cattiva sorte.

Calendari religiosi, solari e **ufficiali**

I Maya utilizzavano contemporaneamente vari calendari: lo *Tzolkin,* anno religioso o rituale (260 giorni), l'*Haab,* anno solare (365 giorni), e l'anno ufficiale o lungo computo (365 giorni).

L'*anno religioso* aveva – come si è accennato - una durata di 260 giorni, ripartiti in 20 mesi di 13 giorni ciascuno. Ad ogni giorno corrispondeva un numero (da 1 a 13) e un nome. I nomi dei giorni erano però venti[2] per cui lo stesso numero e nome del giorno si ripresentava solo ogni 260 giorni. Vi sono varie ipotesi, nessuna decisiva sul motivo dell'adozione dell'anno di 260 giorni, ad esempio che fosse un numero riducibile in cicli di20 e 13 giorni, altro numero particolarmente sacro ai Maya.

L'*anno solare* era diviso in diciotto mesi (*uinal*)[3] della durata di venti giorni (*kin*) numerati da zero a 19: per raggiungere i 365 giorni dell'anno solare venivano aggiunti cinque giorni (*uayeb*), senza nome e soprattutto senza nume tutelare, per cui erano considerati estremamente nefasti. In quei giorni i Maya evitavano di intraprendere qualunque impresa, persino di uscire di casa, e consideravano particolarmente sfortunato chi nasceva in quel periodo.

I due calendari scorrevano indipendentemente l'uno dall'altro, con i giorni identificabili secondo l'una o l'altra numerazione. Ma ogni 18.980 giorni (52 anni solari) i due calendari tornavano a combaciare e la sequenza dei giorni si ripeteva, tra lunghe e sfarzose celebrazioni che coinvolgevano tutta la popolazione.

Il *lungo computo* era il calendario più complesso, il risultato di secoli di studi matematici ed astronomici dei Maya dell'Era Classica, al picco della loro civiltà. Un ciclo annuale (*tun*) di lungo computo comprendeva i 360 giorni dell'anno solare già menzionato. Vi erano poi 20 cicli (*baktun*) ciascuno di 20 anni (*katun*) per un totale di 400 anni maya (146.000 giorni) per ciascun baktun[4]. Per identificare una data rispetto alla più recente ri-creazione del mondo i Maya utilizzavano quindi di solito 5 cifre significative. L'inizio del 12° baktun è quindi indicato dal valore di 12.0.0.0.0 (12 baktun, o katun, o tun, o winal, o kin) e corrisponde al 20 settembre 1618).Nella numerazione dei giorni del calendario di lungo computo, i quattro codici superstiti riportano in inchiostro rosso le date assolute, calcolate rispetto al giorno zero. In inchiostro nero sono invece annotati gli intervalli di tempo trascorsi rispetto a una data più recente di riferimento come l'incoronazione di un re o la fondazione di una città.

Dopo il nostro anno 1000 d.C., il calendario di lungo computo entrò in disuso e non risulta essere più impiegato diffusamente: apparentemente i Maya dell'epoca postclassica – così come gli Aztechi, i Mixtechi e gli Zapotechi – si accontentavano dei due calendari più brevi: quello solare e quello rituale, abbandonando così una datazione di maggior respiro e prospettiva storica, in favore delle altre basate su un orizzonte temporale più breve, indubbiamente più semplici ma certamente meno nobili e ambiziose.

Le vicende di Andrés de Avendaño forniscono un esempio del rapporto che i Maya avevano con il tempo e – contemporaneamente – la graduale perdita delle conoscenze del periodo classico. De Avendaño era un frate francescano, uno dei pochi occidentali che al tempo era riuscito a dipanare il groviglio del calendario Maya. Egli utilizzò questa sua conoscenza per facilitare la conquista dell'ultimo principato maya nel 1696. Egli convinse il capo Itza di Tayasal che mancavano solo quattro mesi al momento in cui – secondo le antiche profezie – gli indigeni avrebbero abbracciato il cristianesimo e si sarebbero sottomessi agli spagnoli. Infatti il francescano riuscì a convincere l'ultimo sovrano maya che stava per aprirsi il *katun 8 ajaw*, un katun movimentato che – in base agli eventi trascorsi nei katun corrispondenti del passato – sarebbe sfociato nella sottomissione ad un re che non poteva che essere, in quelle circostanze, quello di

Spagna. Il sovrano, convinto dell'ineluttabilità del fato ciclico, promise che si sarebbe arreso. In realtà il missionario
aveva compiuto un errore di circa un anno, che però non
fu rilevato dal re Itza né dai suoi sacerdoti. Ciò mostrereb-
be anche che, in qualche misura, le conoscenze relative ai
complessi calcoli matematici occorrenti per il computo del
tempo e degli eventi associati a ciascun periodo non fossero sempre e comunque alla portata delle caste sacerdotali
superstiti.

Il giorno zero del calendario di lungo computo corrisponde
al 12 agosto 3114 a.C. del Calendario Gregoriano. Questa
datazione è stata fatta correlando le date del calendario eu-
ropeo con quelle Maya, ma non è ancora stato raggiunto
un completo consenso tra gli studiosi. Vi sono alcune stime che spostano questa data di qualche giorno ed altre che
la rinviano di qualche anno. Ciò è anche dovuto ai vari e
spesso discrepanti calendari usati dalle nazioni Maya del
periodo post-classico.

*L'inizio senza **fine***

> *Una stele a Quirigá porta dei computi impeccabili*
> *che si spingono indietro di oltre novanta milioni di*
> *anni. In un'altra, sempre a Quirigá, il computo si*
> *spinge a 400 milioni di anni. Si tratta di conteggi*
> *relativi alle posizioni astronomiche di giorno in gior-*
> *no e di mese in mese, e come sistema si avvicinano ai*
> *nostri calendari perpetui*

J. E. Thompson, *La civiltà Maya*, 1970

La parte saliente della cosiddetta fine del mondo secondo i Maya dipende dalla fine del computo del tempo secondo il più complesso dei loro calendari. Ma se in un sistema di calcolo c'è una fine ragionevole, anche l'inizio deve esistere ed essere altrettanto ragionevole. Nello specifico, l'inizio c'è: è il 3114 a.C., almeno ad un'analisi superficiale.

L'inizio del calendario di lungo computo avrebbe dunque la data 0.0.0.0.0 maya e corrisponderebbe al 3114 a.C.. Questo valore rappresenta però una data fittizia, una predatazione convenzionale riferentesi a quando i Maya vivevano ancora nella preistoria. Tutte le vicende di questo popolo hanno infatti luogo nei baktun 8, 9 e 10, dunque tra 3.200 e 4.000 anni dall'inizio del calendario. Sono questi i valori che si ritrovano nei codici e nelle stele superstiti: infatti la data più vecchia di lungo computo, rinvenuta su un monumento nell'area Maya, risale al 197 d.C.; al di fuori della zona di influenza specifica Maya si arriva al 36 a.C. La data dell'11 agosto 3114 a.C. risulta dunque retrodatata in corrispondenza ad un qualche evento della mitologia o delle leggende Maya.

La ragionevolezza della scansione temporale dei Maya sta nella sua ciclicità. Anche nel calcolo più lungo, dopo il numero più grande torna l'anno zero e via così.

Il concetto ciclico che i Maya avevano del tempo, da alcuni anni, viene però forzato per ricavarne interpretazioni apocalittiche applicabili ai giorni nostri. La tesi è che – secondo i Maya – la fine del mondo sarebbe giunta dopo un numero di giorni pari a quello della durata della scorsa era, la terza. Questa durata è riportata su più stele: il suo ultimo giorno porta la data convenzionale di 13.0.0.0.0, 4° Ajaw 3 Kankin, corrispondente al già citato 12 agosto 3114 a.C.. Nel giorno successivo ebbe inizio la quarta (ed attuale) era, con data 0.0.0.0.0.

Ora, secondo i profeti nostrani, quando anche questa era fosse giunta alla data 13.0.0.0.0, il mondo avrebbe avuto termine per un qualche non specificato cataclisma. Ma, al di là della consistenza della profezia e dell'esattezza delle ricostruzioni, l'attribuzione della fine del mondo al 13.0.0.0.0 è corretta?

1.3 PIÙ VECCHIO DELL'UNIVERSO

Innanzitutto le conoscenze cosmogoniche dei Maya, come spesso accade, non erano sempre identiche. La singola cifra di più alto valore corrispondeva al nostro 19: se si fosse dato senso numerico a queste date, il valore di riferimento avrebbe dovuto essere 19.19.19.19.19 o almeno contenere il valore di 19 nella posizione più alta. Vale la pena di menzionare una stele nel sito archeologico di Tikal che riporta un coefficiente di baktun di 19.0.0.0.0, mostrando come la durata della terza era non fosse universalmente fissata al valore di 13. Se ci si rifà a questa stele abbiamo a disposizione altri 2.300 anni prima della fine del mondo. E resta ragionevole pensare che la scelta del 19 avesse a sua volta una valenza simbolica.

Ma anche l'idea che le date avessero appena cinque componenti è errata e riduttiva nei confronti del loro pensiero. Il lungo computo non si fermava infatti con cinque cifre, con i baktun. Molte stele Maya riportano glifi per ben nove cicli: la cifra significativa più grande in questa rappresentazione è l'*alautun* (ma questo è solo un nome convenzionale attribuito dagli archeologi, dato che la pronuncia esatta è ignota). Un alautun corrispondeva a 160 mila baktun ed aveva la durata di 64 milioni di anni ufficiali[5];a Quiriguà si trova un'iscrizione che fa riferimento agli ultimi 5 alautun, più di trecento milioni di anni fa.

Ma è la stele di Coba a fornirci un riferimento esatto secondo la mitologia maya. Essa riporta la durata completa dell'era precedente l'attuale: sulla pietra è inciso questo immenso numero:

$$13.13.13.13.13.13.13.13.13.13.13.13.13.13.13.13.$$
$$13.13.13.13.0.0.0.0.0$$

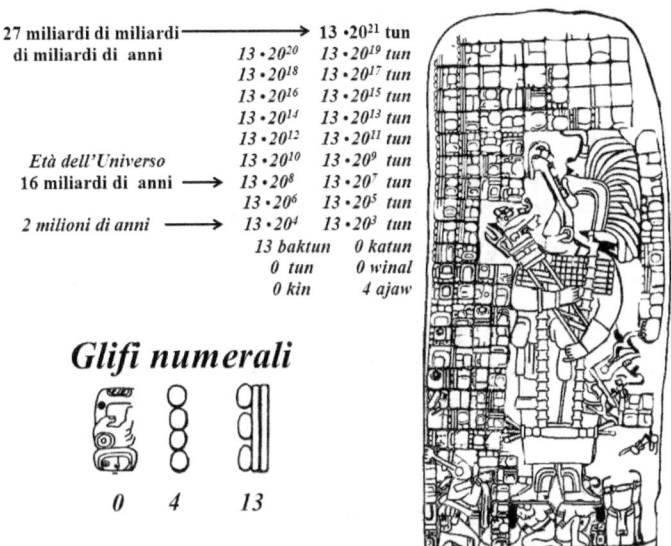

27 miliardi di miliardi di miliardi di anni		→ $13 \cdot 20^{21}$ tun
	$13 \cdot 20^{20}$	$13 \cdot 20^{19}$ tun
	$13 \cdot 20^{18}$	$13 \cdot 20^{17}$ tun
	$13 \cdot 20^{16}$	$13 \cdot 20^{15}$ tun
	$13 \cdot 20^{14}$	$13 \cdot 20^{13}$ tun
	$13 \cdot 20^{12}$	$13 \cdot 20^{11}$ tun
Età dell'Universo	$13 \cdot 20^{10}$	$13 \cdot 20^{9}$ tun
16 miliardi di anni →	$13 \cdot 20^{8}$	$13 \cdot 20^{7}$ tun
	$13 \cdot 20^{6}$	$13 \cdot 20^{5}$ tun
2 milioni di anni →	$13 \cdot 20^{4}$	$13 \cdot 20^{3}$ tun
	13 baktun	0 katun
	0 tun	0 winal
	0 kin	4 ajaw

Glifi numerali

0   4   13

Figura 2: La durata dell'era passata secondo la stele di Coba. La data di lungo computo di 13.13.13.13.13.13.13.13.13.13.13.13.13.13.13.13. 13.13.13.13.0.0.0.0 corrisponde a 28 miliardi di miliardi di miliardi di anni, enormemente antecedente alla nascita dell'Universo.

Procedendo da destra a sinistra ciascuna cifra rappresenta un valore 20 volte superiore a quello precedente, la data sulla stele di Coba corrisponde quindi a circa 28 miliardi di miliardi di miliardi di anni. Il che ci dice che manca ancora qualche eone per il compiersi dell'era corrente e l'eventuale verificarsi della profezia.

Se si tiene presente che secondo la nostra scienza attuale l'universo ha non più di 15 miliardi di anni – dato peraltro allora sconosciuto – la fantastica data concepita dai Maya testimonia la loro audacia culturale nel concepire un riferimento tanto remoto nel tempo. Al tempo stesso evidenzia che si tratta di una cifra dal denso valore simbolico, arricchito di connotazioni religiose e mistiche, facendoci comprendere il senso infinito e indefinito del tempo con cui le popolazioni dello Yucatán erano abituate a convivere, ben lontano dal diretto significato numerico che noi oggi attribuiamo alle cifre nella aritmetica posizionale.

I quattro zeri e l'unico tredici riportati sulla stele di Tortuguero 6 e nei documenti successivi non sono quindi altro che la parte finale dell'intera datazione di Coda: vale a dire una notazione breve - adottata solo per motivi di semplicità e di spazio – di una data che nel tempo aveva assunto valore sacrale, scardinando l'assolutezza della fine del mondo nel 2012 (o di qualunque altra data) secondo le ballate dei moderni cantori dell'apocalisse.

Nessuna meraviglia, in proposito. Il procedimento viene utilizzato anche ai giorni nostri. Un approccio simile, ad esempio, è stato adottato dai computer nel ventesimo secolo: per risparmiare memoria al tempo preziosa, la datazione dell'anno veniva abbreviata limitandone il campo alle ultime due cifre significative (01/01/70 invece di 01/01/1970; 31/12/99 invece di 31/12/1999). Il che ha fatto la fortuna di altri profeti di sventura che ipotizzavano l'apocalisse informatica, a causa del *millennium bug*, versione aggiornata del "mille e non più mille" profetizzato erroneamente anche nel medioevo. Così come il primo gennaio 2000 non ha segnato la fine del mondo, nella società maya il 21 dicembre 2012 marca semplicemente la conclusione del ciclo relativo al $12°$ baktun e l'occasione di grandi festeggiamenti.

La fine del mondo del 2000 era collegata soprattutto a caratteristiche tipiche sistemi Microsoft; analoghi problemi su sistemi unix attribuiscono la fine del mondo informatico all'anno 2038. Del resto l'uso della notazione del calendario estesa e quella accorciata a cinque cifre ricorda quello degli indirizzi su internet. Al momento ciascun computer è accessibile tramite un indirizzo a 32 bit raggruppati in 4 blocchi che vanno da 0 a 255, ad esempio: 192.0.43.10. Una tabella mette poi in corrispondenza il numero con un nome: 192.0.43.10 corrisponde a www.example.com. Potendo indirizzare un massimo di 4 miliardi di computer, questa rete è ormai satura e richiede da tempo la transizione ad un indirizzamento con un numero maggiora di blocchi (a 128 bit, da IPv4 a IPv6).

L'uso della notazione calendariale estesa, con il numero 13 ripetuto per 20 volte, si trova utilizzata sia in parecchie altre iscrizioni che nel codice di Dresda, in cui sono anche narrativeventi mitologici avvenuti 34000 anni prima dell'ultima creazione.

Il contesto delle iscrizioni e dei testi induce quindi a ritenere che il corretto punto di riferimento usato nel lungo computo fosse simbolico, e formalmente situato svariati miliardi di anni prima del 3114 a.C. Inoltre il numero 13 corrisponde infatti ad un *may*, un periodo che riveste una particolare importanza mistico-religiosa nella simbologia Maya. In questo caso esso aveva probabilmente un significato speciale: un analogo Maya del nostro concetto di infinito.

1.4 COLLABORAZIONE ASTRONOMICA MESOAMERICANA

L'accuratezza del calendario è da attribuirsi al rigore delle osservazioni astronomiche, disciplina in cui i Maya eccellevano. I loro sacerdoti erano infatti in grado di misurare con estrema precisione la traiettoria dei corpi celesti e la durata dei loro spostamenti sulla volta celeste.

La maggior parte delle nostre informazioni sulle conoscenze astronomiche dei Maya proviene dai quattro codici superstiti e fotografa le nozioni che avevano un paio di secoli prima della venuta degli spagnoli. Recenti ritrovamenti di pitture murali a Xultum, nell'attuale Guatemala, confermano che queste conoscenze erano già consolidate nel $9°$ secolo, durante il Periodo Classico.

I sacerdoti maya avevano un compito di formidabile difficoltà: per poter effettuare predizioni corrette dovevano mettere in relazione i cicli del sole e della luna con una comune scala temporale e con l'almanacco divinatorio di 260 giorni.

Per raggiungere questo scopo effettuarono misure dei periodi orbitali della luna e dei pianeti di gran lunga più accurate di quelle dei contemporanei europei, riuscendo a raggiungere una precisione dello 0.001% (10^{-5}). Per paragone sarebbe come misurare l'altezza di un uomo con una accuratezza pari ad un decimo dello spessore di un capello. Questo ha fatto nascere le più fantastiche leggende circa il possesso delle più varie tecnologie nascoste, di conoscenze misteriose e – immancabilmente – del coinvolgimento di civiltà aliene.

In realtà i Maya si avvalevano di strumenti molto semplici, simili a quelli in uso in Europa prima dell'invenzione del telescopio: gnomoni, ossia aste per traguardare la posizione degli astri, linee tracciate al suolo o allineamenti tra edifici appositamente costruiti. Il loro "segreto" - se così si può chiamare – consisteva nell'effettuare la misura su un periodo di tempo molto lungo: dovevano passare decenni di pazienti e meticolose osservazioni prima di poter raggiungere la precisione necessaria.

Infatti, non conoscendo (o non utilizzando) le frazioni ma i soli numeri interi, questi esprimevano i periodi dei corpi celesti in termini "sinodici" ossia indicando il numero di giorni che dovevano trascorrere fino a che un dato corpo celeste tornasse nella posizione iniziale[6].

Queste condizioni sembrano straordinarie perché la storia dell'Occidente e del Medio Oriente ben di rado ha offerto periodi di pace e prosperità sufficientemente lunghi per eseguire le osservazioni, riflettere ed estrarre dai dati la conoscenza relativa. Ma anche in questo caso la straordinarietà è tutta nella prospettiva.

Il periodo di rivoluzione della Luna misurato a Copan stabiliva che 149 lune nuove richiedevano 4.400 giorni, corrispondenti ad un periodo di 29,53020 giorni. Una misura analoga a Palenque riportava che per 81 lune nuove occorrevano 2.392 giorni, corrispondenti a 29,53086 giorni o ad uno scarto tra le due misure di meno di due secondi al giorno.

Ancora più complesso e stupefacente si rivela il metodo di raccordo tra i loro anni ed il periodo sinodico di Venere, astro molto importante nella cultura maya ed alla base di un ulteriore calendario[7], della durata di 584 giorni. In questo caso furono necessari studi continuati per molte generazioni e con il coinvolgimento più osservatori di regni diversi. Alla fine di questa mastodontica campagna di misure, antesignana delle odierne collaborazioni scientifiche, fu possibile ridurre l'errore della misura dell'anno sinodico di Venere a un solo giorno su seimila anni e facendo coincidere i calendari ogni 65 anni circa, altra occasione per maestose celebrazioni.

Nel codice di Dresda è anche presente una dettagliata tabella di eclissi solari, le più difficili a prevedersi. La tabella si basa su un doppio almanacco, contenente sessantanove date di future eclissi solari lungo un arco di circa 33 anni, alla scadenza, la sequenza si ripeteva e quindi la tabella poteva essere utilizzata di nuovo. In ragione della complessità delle misure – e dell'intervallo di tempo contemplato – la compilazione della tabella deve aver richiesto il lavoro di molte generazioni di astronomi. Anche in questo caso è impossibile immaginare la quantità, le migliaia di annotazioni, di computi di date e di intervalli di tempo che si resero necessarie prima di riuscire ad effettuare il passaggio dai dati sperimentali all'astrazione della tabella predittiva. Va però ricordato che i Maya non compresero mai la natura dei corpi celesti. Privi della comprensione della reale causa dell'eclissi, ossia il passaggio della Luna tra il Sole e la Terra, non fu loro possibile riuscire a determinare se una data eclisse sarebbe stata visibile dal loro territorio (circa un quarto del totale) o da un'altra parte del globo terrestre. È vero che nel *Chilám Balám* è riportata la corretta spiegazione astronomica: vi sono infatti diagrammi di eclissi di sole e luna con indicata la posizione dei corpi celesti coinvolti. Questa è però di provenienza europea e non è accompagnata dalle sofisticate tavole predittive del codice di Dresda.

La cosmologia dei Maya si limitava alla Luna ed ai pianeti più luminosi transitanti sullo sfondo delle stelle fisse della volta celeste. Non vi è alcuna traccia del fatto che avessero compreso che i corpi celesti più luminosi fossero pianeti e che ruotassero attorno al Sole. Del resto, l'interesse dei Maya risiedeva nel determinare – dalla posizione degli astri e secondo le ricorrenze del loro calendario – i giorni e i periodi favorevoli e quelli sfavorevoli. Inoltre nessuna iscrizione o documento mostra che avessero avanzato alcuna ipotesi circa la natura della nostra galassia e riguardo alla relazione che il sistema solare ha con essa. La Via Lattea era considerata nel Periodo Classico un mostro cosmico con due teste che si fronteggiano nel punto in cui interseca l'eclittica, il piano in cui appaiono muoversi il sole ed i pianeti. Nel *Popol Vuh* queste due linee celesti sono alla base della leggenda della creazione e delle quattro strade colorate, corrispondenti al dio Itzamna dal corpo quadripartito in colori diversi.

Per questo ogni ipotesi che essi potessero aver previsto un eventuale attraversamento del piano galattico è completamente priva di fondamento: i Maya non possedevano le categorie mentali di base per immaginare un tale transito. Anche ammettendo – come ipotizzava McKenna – che questa conoscenza potesse provenir loro da potenze soprannaturali o visioni indotte da droghe, va ricordato che il movimento del sole nella galassia è molto lento: per compiere un solo giro completo sono necessari 250 milioni di anni. Quindi di anno in anno la posizione del sistema solare rispetto alla galassia resta praticamente immutata e qualunque peculiare allineamento cosmico che si verifichi nel solstizio d'inverno si ripete identico per almeno vari decenni. Inoltre, dall'analisi delle estinzioni avvenute nell'avvicendarsi delle varie ere geologiche è possibile ravvisare una qualche periodicità di alcune catastrofi, ma queste periodicità hanno tempi di varie decine di milioni di anni e non di appena 5.000 anni come si evincerebbe dalla versione abbreviata del calendario Maya.

L'aritmetica Maya

I Maya misero a punto una matematica estremamente avanzata ed efficiente, fondamentale per i loro successi nei calcoli astronomici. L'impostazione era in base 20 (il numero delle dita delle mani e dei piedi) con simboli che vanno da 0 a 19. Quella occidentale, come è noto, è in base 10 (il numero di dita delle mani) e, originariamente, non conosceva lo zero. Con lo zero è molto più semplice effettuare addizioni e sottrazioni di quanto non fosse possibile con la notazione greca e romana.

I Maya utilizzavano tre simboli: lo zero (un cerchietto), l'unità (un pallino) e il cinque (un trattino), a comporre una figura unica per ciascuna cifra da 0 a 19. I caratteri possono essere scritti sia in verticale che in orizzontale.

Nella nostra numerazione, anch'essa indiana ma tramandataci dagli Arabi, è la posizione della cifra a decretarne l'importanza: ogni volta che ci si sposta a sinistra, lo stesso simbolo va moltiplicato per dieci. Quindi la prima cifra indica unità, la seconda decine, la terza centinaia e così via per le potenze di dieci.

Se nella nostra notazione la posizione di una cifra a sinistra incrementa il valore di 10 volte rispetto a quella sita alla sua destra, nel caso dei Maya l'incremento è di 20: perciò 14.7 corrisponde a $14*20+7=287$, e 4.9.6 corrisponde al nostro 1.786, perché $4*20*20=1600$ e $9*20=180$, quindi $1600+180+6 = 1.786$. Nelle stele ed iscrizioni ufficiali i numeri potevano essere rappresentati anche da glifi più elaborati e complessi, di solito nelle due varianti a figura completa e sola testa. Nelle iscrizioni più formali i glifi con i numeri da 1 a 19 erano affiancati da quelli dell'esponente, con glifi che rappresentavano il valore di 1, 20, 400, 8.000e così via sino a 20^{21}ed oltre.

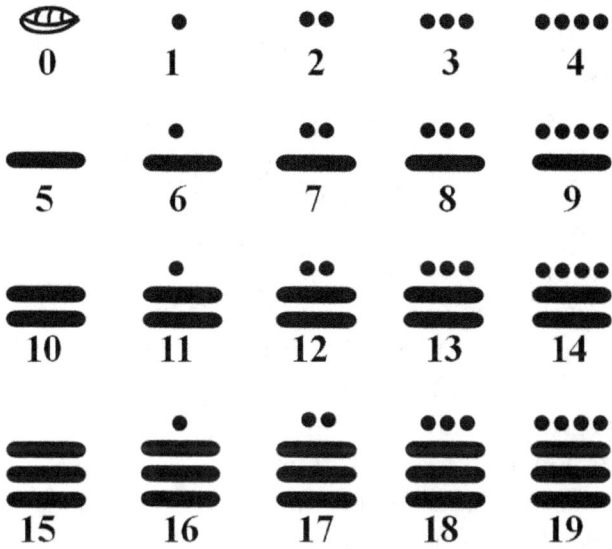

Figura 3: I numeri da 0 a 19 secondo la rappresentazione dei Maya. I glifi potevano essere scritti anche in verticale e sostituiti da rappresentazioni più complesse nelle stele e documenti più elaborati.

L'importanza dello zero

Il concetto dello zero era sconosciuto a greci e romani, ed è stato introdotto in Europa nel XII secolo, proveniente dagli indiani e portato in Occidente dagli Arabi.

Lo zero consente di adottare una notazione numerica posizionale, come quella utilizzata ai giorni nostri ed è di cruciale importanza per lo sviluppo della matematica superiore. In questa maniera non solo addizioni e sottrazioni, ma anche moltiplicazioni e divisioni risultano relativamente semplici: per moltiplicare per venti nel sistema Maya basta infatti "aggiungere uno zero", ossia spostare le cifre a sinistra di una posizione. Analogamente, per effettuare divisioni, è sufficiente spostarsi verso destra, operazione possibile anche per i numeri frazionari dopo la virgola.

Lo zero è presente in molte rappresentazioni numeriche dei popoli del Centro America, ma non è chiaro chi abbia introdotto per primo questo importante concetto. La stele più antica che utilizza questa notazione riporta una data corrispondente al 32 a.C. secondo il calendario di lungo computo per cui l'invenzione dello zero deve essere precedente al manufatto. Questo si trova in territorio olmeco, ma questo popolo si era già estinto nel IV secolo a.C., per cui – in assenza di ulteriori ritrovamenti – non è possibile far luce neanche su quest'altro mistero.

La notazione utilizzata nei calendari maya era però leggermente diversa da quella descritta sopra e non completamente posizionale: la terza cifra non aveva un valore di 400 (20*20), come sarebbe logico attendersi, ma quello di 360. Questa scelta era probabilmente legata alla durata dell'anno solare, più vicino, con i suoi 365 giorni, a questo valore. L'uso di questa notazione era evidentemente studiato per facilitare i calcoli astronomici, sottolineando l'importanza di questa scelta. D'altro canto, però, avrebbe reso impossibile effettuare moltiplicazioni e divisioni nella pratica quotidiana. Si pensi inoltre che numericamente parlando si contava da 0 a 399 per ripartire da 360, con i numeri da 360 a 399 indicabili in due modi diversi. È comunque ragionevole che numeri superiori a 400 fossero poco frequenti ma non assenti nella quotidianità non solo dei Maya, ma anche degli altri popoli del periodo. È quindi possibile che anche per i sistemi di numerazione esistessero più versioni, per esempio una civile e l'altra astronomico/religiosa.

L'uso di una notazione basata sul valore di 360 è comune a molti popoli: ad esempio i babilonesi adottarono una soluzione simile, che, tramandataci, utilizziamo ancora oggi. Il cerchio è diviso infatti in 360 gradi d'arco, e l'angolo di un grado corrispondeva approssimativamente allo spostamento quotidiano del sole sulla volta celeste. In questa notazione sessagesimale, il grado d'arco è diviso in 60 minuti e ciascun minuto in 60 secondi d'arco. Questo sistema sopravvive nell'era moderna anche nel computo delle ore: un'ora è divisa in 60 minuti e un minuto in 60 secondi. In questo caso ogni tacca sull'orologio corrisponde a 360/60=6 gradi d'arco.

Tornando ai Maya, è plausibile che una notazione completamente posizionale, con il 400 al posto giusto, fosse utilizzata nella vita di tutti i giorni e nel commercio. Ad esempio gli Aztechi – per rendere più agevoli i calcoli di ogni giorno – oltre alla notazione del calendario ricorrevano ad una serie di glifi per numerare ed indicare 20 o 400 esemplari di una data merce. Purtroppo i resti archeologici maya ci forniscono informazioni esclusivamente sudate astronomiche o storiche e non sulla vita di tutti i giorni. Pertanto è ancora incerto l'uso che i Maya facevano della matematica al di fuori dei templi e dei palazzi reali: data l'importanza delle date e degli eventi astronomici per formulare gli auspici e la sorte nella vita di tutti i giorni, è plausibile ritenere che le notazioni e le basi matematiche fossero note e praticate nell'uso comune. Ai sacerdoti restava l'appannaggio dei calcoli più complessi del calendario, del calcolo delle date di solstizi ed equinozi e soprattutto dei giorni fausti ed infausti. Agli occhi dei monarchi e della popolazione, questo giustificava il loro ruolo, la loro autorevolezza e la loro sopravvivenza. Così fu, sino al crollo dell'era classica, che è stata la vera fine del mondo dei Maya.

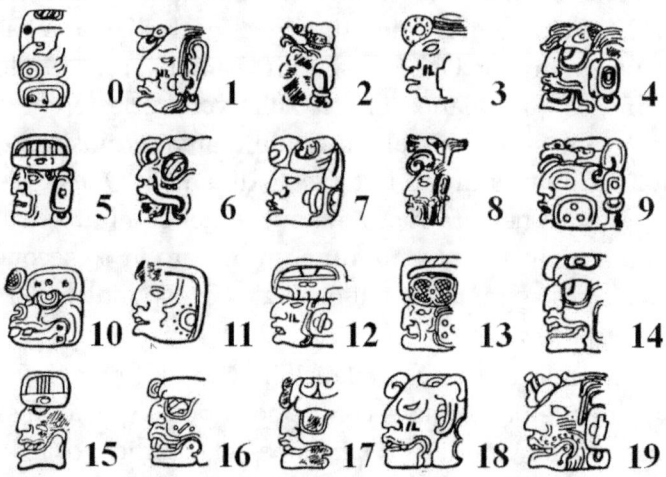

Figura 4: I numeri da 0 a 19 in una delle molteplici rappresentazioni pittoriche.

1.5 IL VERO ENIGMA DELLA CIVILTÀ MAYA

Come già accennato, al termine del IX secolo d.C. ebbe inizio il declino della Civiltà Classica Maya. Vi furono violenti sommovimenti popolari e la popolazione si ridusse drasticamente abbandonando le città e disperdendosi in parte verso nord, in prossimità della costa atlantica.

Nelle zone centro-meridionali della penisola dello Yucatán , dopo l'800 d.C. scomparve tra il 90 ed il 99% della popolazione, con i suoi re, e con tutto il bagaglio di organizzazione politica e sociale che l'aveva caratterizzata in precedenza. Si stima che nella regione del bacino di Petén – corrispondente al territorio dell'attuale Guatemala – vivessero tra 3 e 14 milioni di persone: di questi, dopo il disastro, ne sopravvissero appena 100 mila.

Gli agglomerati urbani che erano fioriti nella classicità furono lasciati in completo abbandono e quindi vennero ricoperti ben presto dalla vegetazione e inglobati dalla giungla; i Toltechi ed altri popoli conquistarono una parte del territorio maya ed il resto si frantumò in una miriade di città stato.

Il cuore dell'impero maya non vide più anima viva e, soprattutto, tale rimase anche quando – ben oltre la siccità – il terreno cominciò a rinverdirsi superando lo stress che aveva subito per la carenza di pioggia e per l'ipersfruttamento, segno evidente che non c'era più popolazione superstite né altra sopravvenuta interessata a strappare alla giungla l'antico territorio. Della localizzazione delle città e del loro splendore si perse, nel tempo, anche il ricordo.

La maggior parte delle conquiste scientifiche e tecnologiche andarono perse: la qualità dei manufatti e delle sculture successive realizzate nell'età definita "postclassica" mostra chiari segni di regresso. Tra le perdite vi fu anche l'uso del calendario di lungo computo, le sue connotazioni religiose, le sue finalità scientifiche, il suo impiego pratico. Così scompariva il segno tangibile del più grande traguardo scientifico ed astronomico raggiunto da questa civiltà.

Lo studio di date, calendari e sistemi di numerazione è quindi importante non tanto per farne derivare profezie ad uso nostro, ma per cercare di risalire alla causa della fine della loro cultura. Perché e in che modo in quel periodo è sparita in pochi anni una popolazione di milioni di individui, socialmente ben strutturata, potente in armi, maestosa nei monumenti? Cosa è successo di così catastrofico da indurre all'abbandono completo di metropoli di varie centinaia di migliaia di abitanti? Perché le città non sono mai state riabitate, neppure da altre popolazioni con diverse culture? Una volta chiarite le cause, quale rilevanza culturale o implicazioni pratiche ciò assumerebbe per la nostra civiltà?

Il dibattito sulla fine della civiltà Maya è ancora aperto e da molti considerato uno dei più grandi enigmi dell'archeologia. Sono state avanzate varie ipotesi al riguardo: invasione di popoli stranieri, sovrasfruttamento del terreno, rivoluzione sociale delle classi inferiori, diffusione di epidemie... ma nessuna è conclusiva nello spiegare la rapidità del crollo della popolazione e l'abbandono delle città.

Parte delle risposte a questo enigma viene dalle condizioni ambientali: con il raffinarsi delle tecniche di analisi geologica e paleobotanica è stato infatti possibile ricostruire il clima dello Yucatán negli ultimi millenni. Dall'analisi dei depositi e sedimenti lacustri e oceanici è stato possibile determinare che questa regione aveva goduto di ampie precipitazioni per almeno 5.000 anni, sino al VI secolo a.C., cui ha fatto seguito un periodo di relativa siccità tra il 475 e il 250 a.C. Il termine di questo periodo arido vide il fiorire della civiltà classica Maya, per quattro secoli, sino al II secolo d.C. Un nuovo periodo di aridità si registra tra il II e il III secolo, determinando un primo evento di rilievo: il crollo della civiltà di El Mirador nel bacino di Petén. Questo evento rimase circoscritto e non giunse a danneggiare le città più a Nord. Tuttavia, cinque secoli più tardi, nel 760 d.c., ebbe inizio la peggiore siccità – sia per durata che per intensità – mai abbattutasi sullo Yucatán nei precedenti 7.000 anni. Dopo un breve periodo di tregua, questa fu seguita da altre tre tra l'810 ed il 910 d.c., decretando la fine dei principali regni Maya. In qualche modo, una irregolare ciclicità era quindi implicita nel sistema socio-economico della zona, con fasi successive di durata facilmente ricordabile e trasmissibile a memoria d'uomo. Forse questo tipo di alternanza può aver ispirato il concetto di tempo ciclico proprio in quell'area.

Tra le cause del grave cambiamento climatico, una delle più probabili è quella legata all'attività solare: diversi studi sui sedimenti dei laghi dello Yucatán mostrano[8] come i periodi aridi si siano ripetuti con una cadenza di circa due secoli. Questo andamento è stato correlato ad una periodicità di circa 206-208 anni del numero di macchie solari. Come verrà analizzato nel Capitolo 3, il clima terrestre è influenzato dal numero di macchie solari a causa della differente quantità di luce e calore che proviene dalla nostra stella.

Certamente, però, le cause del crollo definitivo non furono esclusivamente climatiche. I Maya determinarono profondi danni all'ambiente deforestando ampie parti della giungla, erodendo ed impoverendone il terreno. La deforestazione era necessaria non solo per l'impiego diffuso del legname nelle costruzioni sacre e negli usi domestici, ma soprattutto per la necessità di creare continuamente nuove terre coltivabili quando quelle vecchie erano rese inutilizzabili dopo pochi anni di coltivazione intensiva del mais. I danni all'ecosistema si riversarono ben presto – come è avvenuto più volte – sulla tenuta del sistema sociale. Nella storia dei Maya la riduzione delle risorse alimentari disponibili ha causato un incremento delle guerre e dei conflitti accesi per assicurarsi le poche risorse residue. Inoltre tali guerre riguardavano un territorio tutto sommato ben limitato. Per le condizioni orografiche, per la mancanza di strade strutturate e di consistenti mezzi di trasporto, i Maya erano condizionati dall'impossibilità logistica di condurre campagne di ampio respiro portate su territori remoti. In queste condizioni anche il ricorso alla guerra non apportava benefici duraturi all'approvvigionamento delle risorse alimentari. È plausibile che questi fenomeni naturali abbiano scatenato la rivolta delle classi inferiori contro sacerdoti e sovrani dei vari Stati. Questi erano infatti colpevoli agli occhi del popolo di non aver saputo custodire e alimentare il patto con gli dei, della cui ira la siccità era evidente dimostrazione. A quel punto si determinava il dissolversi del sistema di governo e di difesa e l'irreparabile situazione, in una città-stato ormai maledetta dagli dei, non lasciava altro scampo se non l'emigrazione ai pochi che non erano morti di fame.

L'interazione tra fattori climatici e fattori sociali risulta avvalorata dal decadere non perfettamente simultaneo delle varie città Maya, che furono abbandonate progressivamente in un periodo che va dal 760 al 910 d.C.. In alcuni insediamenti la diminuzione del numero di abitazioni civili, desumibile dal numero di oggetti di ossidiana rinvenuti, tenderebbe a suggerire che la popolazione diminuì più lentamente di altri. Talvolta il declino della popolazione è stato più graduale di quello pressoché istantaneo della produzione di manufatti pubblici e di stele, prodotti tipici della precedente organizzazione politica.

Va rimarcato inoltre che il crollo del X secolo non fu il primo: vi sono anche tracce di altri due declini di entità minore nel II e VI/VII secolo. Nell'anno 150 d.C. ebbe luogo il cosiddetto collasso pre-Classico, quando – come si è accennato – El Mirador ed altre città furono abbandonate. È invece a cavallo tra il VI e VII secolo la cosiddetta "interruzione di Tikal", quando la costruzione dei monumenti che venivano eretti nella capitale Maya ebbe una lunga pausa. Nel caso di Tikal si pensa anche che ciò sia stato causato da una disastrosa sconfitta nello scontro con i Calakmul e Caracol. Alcune città a nord riuscirono a sopravvivere al collasso ed anzi prosperarono: è il caso di Chichen Itza, che espanse il suo territorio d'influenza continuando a prosperare sino al 1250. Con la caduta (non definitiva) di Chichen Itza, Mayapan assunse il ruolo di centro dominante della Penisola sino al 1450 circa.

La rovina della civiltà maya fu probabilmente innescata da una serie di anomalie dell'ecosistema aggravate dai danni del sistema antropico. Successivamente l'invasione straniera e le devastanti epidemie infierirono ulteriormente nella regione. Analoga fenomenologia ed effetti equivalenti – che verranno esaminati nei capitoli successivi – si riscontrano in varie civiltà del passato.

La complessa vicenda dei Maya ci suggerisce che una comprensione dettagliata delle cause che portarono alla fine di questi popoli è di cruciale importanza per prevenire o ridurre i danni all'equilibrio ambientale. È questa la vera profezia, o meglio il vero ammonimento dei Maya: rispetto alle divinazioni dei sacerdoti abbiamo a disposizione molti più dati e strumenti per evitare il ripetersi di una o più di queste catastrofi. In caso di fallimento, quindi, non sarà possibile addurre alcuna scusante.

1.6 NOTE

[1] Balám *è anche un cognome comune nello Yucatan – sia al tempo che al giorno d'oggi - per cui una traduzione altrettanto valida è "I Libri del Profeta* Balám".

[2] *I nomi dei giorni erano:* Imix, Ik, Akbal, Kan, Chicchan, Cimi, Manik, Lamat, Muluc, Oc, Chuen, Eb, Ben, Ix, Men, Cib, Caban, Etznab, Cauac, Ajaw (o Ahau).

[3] *I nomi dei mesi erano:* Pop, Uo, Zip, Zotz, Tzec, Xul, Yaxkin, Mol, Chen, Yax, Zac, Ceh, Mac, Kankin, Muan, Pax, Kayab, and Cumku.

[4] *Anche in questo calendario è utilizzata la notazione posizionale, ma con 360 (18*20) al posto di 400 (20*20), per cui, moltiplicazioni e divisioni risultano più complicate da eseguirsi che in un semplice sistema posizionale. Se l'adozione del valore 360 al posto di 400 nella terza posizione complicava i calcoli ordinari, semplificava però quelli del calendario dato che questa cifra risulta una buona approssimazione del numero di giorni in un anno.*

[5] *Nel lungo computo abbiamo:* kin=1 *giorno,* uinal=1 *mese di 20 giorni,* tun=1 *anno di 18 mesi (360 giorni),* katun=20 *anni di 360 giorni,* baktun=400 *anni,* pictun=8000 *anni,* calabtun=160000 *anni,* kinchiltun=3,2 *milioni di anni,* alautun=64 *milioni di anni corrispondenti a 23,04 miliardi di giorni.*

[6] *In termini algebrici si può scrivere come* $m\, G_{terrestre} = n\, T_{lunare}$ *con m ed n numeri interi,* $G_{terrestre}$ *è la durata del giorno e* T_{lunare} *è il periodo di rivoluzione della luna attorno al nostro pianeta. Perciò* $T_{lunare} = m/n\, G_{terrestre}$.

[7] *L'anno sinodico è il tempo che occorre ad un corpo celeste per tornare nella stessa posizione apparente sulla volta celeste. Nel caso di Venere, il periodo di rivoluzione attorno (periodo siderale) al sole è di 224.7 giorni. Da questo esempio sembrerebbe che il periodo sinodico sia approssimativamente dato dalla somma dei due periodi orbitali. Tuttavia la formula, sviluppata da Copernico, è più complessa. Ad esempio Mercurio ha periodo siderale di 87.97 giorni ed un periodo sinodico di 115.87 giorni.*

[8] *Questo è confermato da varie analisi dei sedimenti e della composizione degli isotopi di ossigeno e dei livelli di titanio nei laghi di Chichanacanab, Punta Laguna ed altri. L'acqua con ossigeno 18 è indistinguibile chimicamente da quella con il più comune ed abbondante ossigeno 16, ma - essendo di poco più pesante - tende ad evaporare di meno ed ad accumularsi nei periodi di siccità. I molluschi e i crostacei assorbono l'ossigeno pesante e lo fissano nei loro gusti di calcare* ($CaCO_3$)*, permettendo ad un'analisi radioisotopica di determinare la concentrazione di ossigeno 18 e di riferirla ai periodi di siccità.*

1.7 BIBLIOGRAFIA ESSENZIALE

Aveni A., in Vail, G. e Aveni A., eds, *The Madrid Codex: new approaches to understanding an ancient Maya manuscript, capitolo 6, Intervallic Structure and Cognate Almanacs in the Madrid and Dresden Codices*, University Press of Colorado 2004.

Braden, G., citando Terence McKenna in *Fractal Time: The Secret of 2012 and a New World Age*, Hay House, 2009.

Cyrus, T., The Maya Year, Government printing office, Washington, 1894

Cyrus, T., Maya Calendar Systems, Washington, 1904

Harrison, P.D. Turner, B. L., ed. *Pre.Hispanic Maya Agriculture*, Austin, University of Texas Press, 1978.

Healy, P.F., *An ancient Maya Dam in the Cayo District, Belize, JFA 10:147-54, 1983*.

Ifrah, G., *The Universal History of Numbers: From Prehistory to the Invention of the Computer*. Harvill Press Ltd. 1998.

McKenna, T., *The Invisible Landscape*, San Francisco, Harper, Reprint edition, 1994.

McKillop H., Ancient Maya tree cropping: A viable subsistence adaptation for the island Maya, Ancient Mesoamerica, 5:129-140, 1994.

McKillop H., Prehistoric Maya use of native palms: Archaeobotanical and ethnobotanical evidence. In S.L. Fedick, ed. *The managed mosaic: Ancient Maya agriculture and resource use (pp 278-294)*, Salt Lake City, University of Utah Press, 1996.

Meyer, C., Gallenkamp, C., The Mystery of the Ancient Maya, Margaret K McElderry ed., 1995.

Roys, R., (trad.) The book of ChilamBalam of Chumayel, Washington D.C.; Carnegie Institution, 1933, disponibile a questo indirizzo: http://www.holybooks.com/wp-content /uploads/Book-of-Chilam-Balam-the-of-Chumayel.pdf.

Saturno, W.A. et al., *Ancient Maya Astronomical Tables from Xultun, Guatemala, Science* **336,** 714, 2012.

Thompson, E.,*La civiltà Maya*, Einaudi *1970*.

Thompson, E.,*A Commentary on the Dresden Codex: A Maya Hieroglyphic Book*, Philadelphia: American Philosophical Society, 1972.

Tozzer, A. M. (trad.) *Landa's relación de las cosas de Yucatán.* Papers of the Peabody Museum of

Archaeology and Ethnology, vol. 18. Harvard University, Cambridge, 1941, p. 77-78.

Fruibilità, circolazione e fantasia

Libri? E' ora di farla finita con modelli imprenditoriali improntati al "metodo Pravettoni", basati sulla speranza di far soldi aumentando copie monolitiche di un prodotto e seguendo idee balzane come il diritto d'autore.

Fin dalla sua nascita, la filiera editoriale su carta è stata contraddistinta da una diffusa imprecisione dei modelli di business. Fondamentalmente l'autore cercava non un imprenditore ma un Mecenate, convinto che l'essere pubblicati portasse fama e denari. Dal suo canto, l'editore immaginava che la sua maestria gli permettesse di identificare capolavori da far sbocciare nel suo conto in banca. Ben presto ci si accorgeva che ciò non era vero: l'autore si accontentava gratuitamente della piccola fama dei vecchi amici e di qualche nuova conventicola, mentre l'editore via via accumulava passivo dal quale uscire con aiuti statali o attività non editoriali.

In Italia, il ridotto numero di abitanti e la loro scarsa propensione alla lettura ha reso impossibile vendere percentuali decorose delle copie distribuite, richiedendo l'aumento dei prezzi e causato una ulteriore riduzione del venduto, in una spirale dell'insuccesso.

In tutto ciò si evitava di lavorare seriamente sulla filiera di creazione del valore del prodotto editoriale, autore - publisher - distributore - punto vendita - lettore.

I due nemici dell'editore sono la carta (indirettamente, per le basse percentuali di vendita) e il distributore (direttamente, per le alte percentuali e i minimi garantiti dei contratti).

Poi sono arrivati i media sociali, che offrono varie scorciatoie sulla gestione dei contenuti e sulla distribuzione, ma non gratuitamente: il prezzo da pagare è la riduzione dei margini per tutti. Il teorico vantaggio è di avere strade che raggiungano molti più interessati di prima, identificando ruscelletti (brooks) anche appena accennati. Ci piace pensare di saperli convogliare, aumentando la massa d'acqua via via a formare un torrente.

Idee da lanciare

Il formato digitale scavalca il tipografo. I media sociali scavalcano il distributore e il libraio. Restano importanti l'autore e l'editor/publisher, che devono saper gestire distribuzione e promozione on-line.

Finora quasi tutti gli operatori sono rimasti ancorati al libro monolitico e alla tradizionale catena di creazione del valore, per di più nella versione ridotta del dopo-digitale.

Non è però l'unica strada, anzi. Anche restando nella catena attuale, si può fare molto per rendere l'opera più fruibile. Capitolo, libro, integrazione verticale (collana), integrazione orizzontale (bundle) tra collane, ampliamento della catena di creazione del valore sono tutti punti sui quali eBrooks sta lavorando.

Gli esempi di lancio sono **Mai più Maya** e **Spotkiller / Gamification**.

Lancio di idee

Del libro Pseudoscienze di Marco Casolino saranno disponibili una gran quantità di materiali in molti formati. Mai più Maya ne è il primo capitolo e verrà offerto gratuitamente; i due volumi dell'opera complessiva, in varie versioni a pagamento; un percorso di arricchimento sul nostro sito, per aggiungere nozioni e suggestioni in modo divertente e gratuito.

Con Spotkiller/Gamification proviamo a fare divulgazione sotto forma narrativa. Un romanzo breve semplificato e già più volte pubblicato diventa occasione per rinnovare il mondo di riferimento, lasciando la forza dell'intuizione noir e specificando tecniche attive sui social network e più in generale nella tecnologia.

Quelli che credono in eBrooks – gli autori

Shun Iwasawa (Kawasaki 1982) si è laureato presso la prestigiosa Graduate School of Interdisciplinary Information Studies dell'Università di Tokyo con un master in computer grafica. Nel 2006 ha iniziato a lavorare come programmatore di computer grafica presso lo Studio Ghibli, leader in Giappone di lungometraggi animati.

Ha illustrato il libro How the body shapes the way we think: **A new view of intelligence** (Pfeifer, Bongard e Glatzeder, MIT Press 2005).

Nel campo dell'animazione ha partecipato ai film di Ghibli usciti dal 2006, nell'ordine **Cronache della guerra di Ged** (2006), **Ponyo sulla scogliera** (2008), **Arrietty** (2010) e **Dalla collina dei papaveri** (2011).

Massimo Mongai (Roma 1950) ha pubblicato decine di romanzi e qualche saggio. Fiero sostenitore del genere contro il mainstream, ha scritto prevalentemente gialli e fantascienza. Nel 1999 ha vinto il Premio Urania Mondadori (a tutt'oggi il principale premio della fantascienza italiana) con Memorie d'un cuoco d'astronave, seguito da Memorie di un cuoco di un bordello spaziale e in attesa del completamento della trilogia.

Da dieci anni propone **Lo scrittore dal vivo**, corso teatrale di scrittura creativa. Per altro editore è uscito **P.u.nfo.**, un romanzo ipertestuale di fantascienza.

Dal 2001 affida all'attuale curatore di eBrooks la space opera **Tecniche di volo a vento solare**.

Marco Minicangeli (Roma 1963) scrive di cose torbide come i serial killer e loro pertinenze condominiali. Ha pubblicato una decina di saggi (fondamentale **Ammazzo Tutti**, insieme a Francesco Bruno (Stampa Alternativa 2004) e svariati romanzi noir, tra i quali **Uomo N** (Mondadori Segretissimo 2010).

Dal 2001 controlla le derive del suo bruciante **SpotKiller**, la cui versione socialmediale ha fatto parte del primo lancio di eBrooks.

Insieme a Leo Sorge ha scritto **Robot/Makers**, il romanzo manifesto della convivenza tra industria ed innovazione, proposto al Premio Urania 2012.

Marco Casolino (Roma 1970) attrezza ed orbita satelliti artificiali per il Riken giapponese e l'Infn italiano. Ha pubblicato un saggio sulla radioattività ed il fantastico romanzo di thriller-fantascienza **Grikon**, ambientato in Giappone (entrambi Cooper 2011).

Contribuisce ad eBrooks in molti modi: il più evidente è il saggio **Pseudoscienze** del nuovo millennio, al cui capitolo **Mai più Maya** (disegni di Shun Iwasawa) è stato affidato il lancio di eBrooks.

Leo Sorge (Roma 1960), divulgatore tecnologico, ha coinvolto i suoi amici nell'iniziativa eBrooks. Ha pubblicato oltre 30 libri, prevalentemente manuali e saggi, tra i quali **Senza Fili** (Apogeo 2005), **Preistoria robotica** (Olimpia 2009) e in inglese **From Dust to Nanoage** (Lulu 2009).

Ad eBrooks porta il saggio **Mitostoria dei viaggi in America**, l'audiolibro **Il racconto della musica** (per gentile concessione di Marco Traferri Editore) e il romanzo storico **Gutenberg Monarca Nero**.

Luca Boccianti (Bologna 1963) è un umanista esperto in programmazione Web e social media. Ha anche competenze di grafica editoriale. Non è mai dove dovrebbe essere, ma rispetta le consegne di lavoro come quelli che si sa dove stanno.

Doctor Who è lo pseudonimo di un autore che si è scoperto tecno-editorialista nella seconda metà della sua vita. La sua elevata capacità di apprendimento gli consente di seguire le associazioni d'idee con cui le innovazioni tecnologiche insistono sulle infrastrutture.

E' al primo libro.

LE QUATTRO COLLANE DI EBROOKS

Al centro della strategia di eBrooks non c'è il libro, ma la collana, che si articola orizzontalmente e verticalmente. Materiali diversi (saggi, graphic novel, romanzi, manuali, audiolibri) hanno la stesa dignità e vengono inseriti in un progetto integrato.

Diversi amici di eBrooks hanno messo a disposizione altre intriganti opere, che attendono di essere inserite in una collana adatta e quindi sono convintamente rimasti fuori dalla prima fase di lavorazione.

Catastrofi
Pseudoscienze del nuovo millennio (**Saggio, Casolino**)

Altrove
Tecniche di volo a vento solare (**romanzo, Mongai**)
Mitostoria dei viaggi in America (**saggio, Sorge**)
Il racconto della musica (**audiolibro, Sorge**)

Teknôs
Robot/Makers (**romanzo, Minicangeli/Sorge**)
Gutenberg Monarca Nero (**romanzo, Sorge**)

Capitale
Startuppers (**saggio, Doctor Who**)
Spotkiller (**romanzo divulgativo, Minicangeli**)

Integrazione orizzontale e verticale. Esistono punti di contatto tra i materiali proposti da eBrooks. Sul nostro sito saranno disponibili dei percorsi orizzontali che permettano di curiosare tra loro.

Noi definiamo questa "integrazione orizzontale". Definiamo invece "integrazione verticale" quella tra componenti della stessa opera.

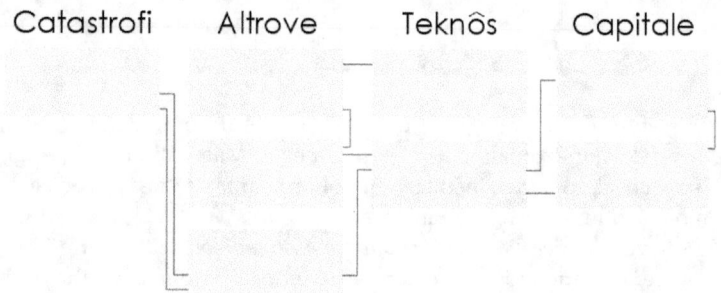

Scoprite i contenuti gratis e a pagamento che vi portano in viaggio tra i sentieri di eBrooks: seguiteci!

www.ingramcontent.com/pod-product-compliance
Lightning Source LLC
Chambersburg PA
CBHW071246280526
45788CB00004B/1606